KU-025-939

Rainer Fieselmann · Siegfried Geyer

Ostalb

*Rapsfeld
auf der Stubersheimer Alb*

*Rapeseed field
on the Stubersheim Alb*

*Champs de colza
dans le Jura de Stubersheim*

Rainer Fieselmann · Siegfried Geyer

Ostalb

Text von · Text by · Texte de
Hendrik Rupp

Deutsch · English · Français

Silberburg-Verlag

Luftiger Blick über das Kalte Feld bei Weißenstein auf den westlichen Trauf der Ostalb

Aerial view of the Kaltes Feld near Weißenstein on the western side of the Eastern Alb

Vue aérienne du Kaltes Feld près de Weißenstein sur le flanc ouest du Jura de l'est

Bei Unterdrackenstein passiert die
talwärts führende Fahrbahn der A 8
eine zerklüftete Felslandschaft.

The motorway A 8 goes into the
valley through rugged rocky landscape near Unterdrackenstein.

À côté d'Unterdrackenstein, le tracé
descendant de l'autoroute A 8 tra-
verse un paysage rocheux accidenté.

Das Städtchen Wiesensteig wird von der doppeltürmigen Stiftskirche Sankt Cyriakus beherrscht.

The twin-towered collegiate Church of St Cyriakus is an impressive building in the small town Wiesensteig.

La petite ville de Wiesensteig est dominée par les deux tours de la collégiale Sankt Cyriakus.

*Streuobstwiesen im oberen Filstal
bei Gosbach*

*Fruit trees in the Upper Fils Valley
near Gosbach*

*Prairies de pommiers de plein vent
dans la haute vallée de la Fils,
près de Gosbach*

Das Filstal bei Bad Ditzenbach   *The Fils Valley near Bad Ditzenbach*   *La vallée de la Fils près de Bad Ditzenbach.*

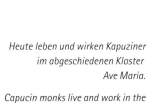

Heute leben und wirken Kapuziner
im abgeschiedenen Kloster
Ave Maria.

Capucin monks live and work in the
secluded monastery today.

Aujourd'hui des capucins vivent
et travaillent dans l'abbaye
d'Ave Maria, un lieu retiré.

Barocke Perle im Filstal:
die Wallfahrtskirche
Ave Maria in Deggingen

A jewel of the baroque in the
Fils Valley: the pilgrimage church
Ave Maria in Deggingen

Trésor baroque de la vallée de la Fils:
l'église de pèlerinage Ave Maria,
à Deggingen

*Rund um das Kloster finden sich
zahlreiche Orte der Einkehr.*

*There are many places for reflection
around the monastery.*

*Autour de l'abbaye se trouvent de
nombreux lieux de recueillement.*

Die Nacht senkt sich über das obere Filstal.

Night falls in the Upper Fils Valley.

La nuit s'étend sur la haute vallée de la Fils.

Die Hausener Wand gilt als Paradies für Kletterer. Sehr zum Missfallen der Naturschützer, denn hier leben noch Uhus.

The Hausen Wall is a paradise for climbers. Environmentalists are very unhappy about that because the Eurasian Eagle Owl is at home here.

Le « Mur de Hausen » est un paradis pour les escaladeurs, au grand dam des protecteurs des oiseaux car il abrite encore des grands-ducs.

Hoch über dem Steilhang des Filstals thront der Geislinger Stadtteil Türkheim.

Türkheim is part of Geislingen and stands in splendour high above the steep sides of the Fils Valley.

Türkheim, ville associée de Geislingen, se situe au sommet du versant abrupt de la vallée de la Fils.

Vom Pavillon im Kurpark aus hat man einen schönen Blick auf die Fachwerkhäuser in der Ortsmitte von Bad Überkingen.

The pavilion in the spa gardens affords a wonderful view of the half-timbered houses in the centre of Bad Überkingen.

Du pavillon du parc thermal, on jouit d'une vue magnifique sur les maisons à pans de bois du centre de Bad Überkingen.

Die »Fünftälerstadt« Geislingen an der Steige ist auch heute noch von weitläufigen Industrieanlagen geprägt.

The "five valley town" Geislingen an der Steige is still characterised today by sprawling industrial works.

Geislingen an der Steige, la « ville au cinq vallées », est aujourd'hui encore caractérisée par ses zones industrielles étendues.

Auch moderne Hochgeschwindig-keitszüge müssen an der Geislinger Steige das Tempo drosseln.

Even modern express trains must slow down when they reach the very steep Geislinger Steige.

Même les trains modernes à grande vitesse sont obligés de ralentir à la montée de Geislingen.

Ausflugsziel hoch über Geislingen: die Burgruine Helfenstein

The hiker's destination: the ruins of Helfenstein Castle high above Geislingen

Une belle excursion sur les hauteurs de Geislingen: la ruine du château d'Helfenstein

Rund um die Stadtkirche gruppiert sich die »gute Stube« Geislingens.

Geislingen's prettiest houses are gathered around the town church.

La « vitrine » de Geislingen, autour de l'église

Eingebettet in die typische
Voralblandschaft: das Städtchen
Süßen

The small town Süßen is snugly
nestled in a typical Swabian
orchard landscape.

La petite ville de Süßen nichée
dans le paysage typique des
contreforts du Jura

Blick über den Marrenwald auf
Schloss Ramsberg und
das Rehgebirge

View across the Marrenwald of
Ramsberg Castle and
the Rehgebirge

Derrière la forêt de Marrenwald,
le château de Ramsberg et
la chaîne de montagnes Rehgebirge

Die Burganlage Staufeneck hoch
über Süßen ist heute Gourmet-
tempel und 5-Sterne-Hotel.

High above Süßen Staufeneck
Castle has been made into a 5-star
hotel with a gourmet restaurant.

Sur les hauteurs de Süßen,
le château de Staufeneck est
devenu un hôtel cinq étoiles
et un sanctuaire des gourmets.

Das ehemalige Schloss der Grafen von Rechberg beherbergt heute die Donzdorfer Stadtverwaltung.

Previously the home of the earls of Rechberg, this castle now houses the Donzdorf town council.

L'ancien château des comtes de Rechberg abrite aujourd'hui l'administration de Donzdorf.

Die Maierhalde bei Kuchalb bietet eine fantastische Aussicht auf Donzdorf, das Lautertal und den Albtrauf.

The slope Maierhalde near Kuchalb provides a marvellous view of Donzdorf, the Lauter Valley and the edge of the escarpment.

Le terril Maierhalde, non loin de Kuchalb, offre une vue fantastique sur Donzdorf, la vallée de la Lauter et l'Albtrauf.

Das Schloss in Weißenstein ist durch einen gedeckten Gang mit der Stadtkirche Maria Himmelfahrt verbunden.

The castle in Weißenstein is connected to the town church Maria Himmelfahrt by a covered passageway.

Le château de Weißenstein est relié à l'église Maria Himmelfahrt par un passage couvert.

Das »Scharfenschloss« auf dem Scharfenberg bei Donzdorf ist heute in privater Hand und wird als Feriendomizil genutzt.

The "Scharfenschloss" on Mount Scharfenberg near Donzdorf is privately owned today and used as a holiday home.

Sur le Scharfenberg, près de Donzdorf, le château « Scharfenschloss » est désormais propriété privée et sert de maison de vacances.

Im herbstlichen Kurpark
von Bad Boll

*The spa gardens of Bad Boll
in autumn*

*Le parc thermal de Bad Boll
en automne*

Das »Café Heuss« in der
Evangelischen Akademie Bad Boll

*The Café Heuss in the
Protestant Academy Bad Boll*

*Le « Café Heuss » dans
l'Académie protestante de Bad Boll*

Das Schloss in Jebenhausen wurde
Ende des 17. Jahrhunderts von den
Freiherren von Liebenstein erbaut.

The castle in Jebenhausen was built
by the barons of Liebenstein at the
end of the 17th century.

Le château de Jebenhausen fut érigé
vers la fin du 17e siècle par les
barons de Liebenstein.

Die knapp 60 000 Einwohner
zählende Stadt Göppingen ist
das Zentrum des gleichnamigen
Landkreises.

With nearly 60,000 inhabitants,
Göppingen is the centre of
an administrative district
which bears the same name.

La ville de Göppingen compte
presque 60 000 habitants;
elle est le chef-lieu du
district du même nom.

Das kürzlich renovierte Rathaus
in Göppingens Mitte bildet die
passende Kulisse für den
Maientagsumzug.

The newly renovated town hall
in downtown Göppingen is
an appropriate backdrop for
the May Day parade.

Récemment rénové, l'hôtel de ville
au centre de Göppingen est un
décor idéal pour le défilé du mois
de Mai.

Die Göppinger Fußgängerzone wurde kindgerecht umgestaltet.

Göppingen's pedestrian precinct has been made more suitable for children.

La zone piétonne de Göppingen a été adaptée aux enfants.

Maibaum-Klettern an der
Göppinger Hohenstaufenhalle

Climbing the maypole outside
Göppingen's Hohenstaufen Sports Hall

Escalade de l'arbre de Mai devant
la Hohenstaufenhalle de Göppingen

*Ein Höhepunkt des Umzugs
am Maientag: Kaiser Barbarossa*

*One of the main sights at the
May Day parade: Barbarossa
(Emperor Friedrich I)*

*L'un des points forts du défilé
de la fête du mois de Mai:
l'empereur Barberousse*

*Terrassenförmige Wiesen und Äcker
am Hohenstaufen*

*Terraced fields and meadows on
the Hohenstaufen*

*Prés et champs en terrasses
du Hohenstaufen*

Der Kaiserberg Hohenstaufen
im Abendlicht

The Kaiserberg Hohenstaufen
by evening light

Le sommet impérial de Hohenstaufen à la lumière du soir

Der Rechberg trägt die Burgruine Hohenrechberg, aber auch die Wallfahrtskirche »Zur Schönen Maria«.

Not only the ruins of Hohenrechberg Castle, but also the pilgrimage church "Zur Schönen Maria" are on the Rechberg.

Le Rechberg porte la ruine du château de Hohenrechberg, mais aussi l'église de pèlerinage « Zur Schönen Maria ».

Zwischen dem Kalten Feld und dem Rechbergle liegt die bekannte Reiterles-Kapelle.

The well-known Reiterles-Kapelle lies between the Kaltes Feld and the Rechbergle.

Entre le Kaltes Feld et le Rechbergle se trouve la célèbre Reiterles-Kapelle.

Rund um den Marienbrunnen auf dem Gmünder Markplatz gruppieren sich die Straßencafés.

Cafés cluster around the Fountain Our Lady at the marketplace in Gmünd.

Les terrasses des cafés sont groupées autour de la fontaine, sur la place du marché de Gmünd.

Portaldetail an der romanischen Kirche Sankt Johannis

Detail in the portal of the romanesque Church of St Johannis

Détail du portail de l'église romane Sankt Johannis

*Die Altstadt der ehemaligen
Reichsstadt Schwäbisch Gmünd
aus luftiger Höhe*

*Aerial view of the old town in
the historical imperial town
Schwäbisch Gmünd*

*La vieille ville de l'ancienne ville
impériale Schwäbisch Gmünd,
vue d'en haut*

Dieses schmucke Rokoko-
schlösschen verschönt den
Gmünder Stadtgarten.

This smart rococo pavilion
brightens up the town gardens
of Schwäbisch Gmünd.

Ce joli petit château rococo
embellit le parc de Gmünd.

*In den Fels gehauen:
die Wallfahrtskirche
Sankt Salvator in
Schwäbisch Gmünd*

*Carved in rock:
the pilgrimage Church
of St Salvator in
Schwäbisch Gmünd*

*Creusée dans la roche:
l'église de pèlerinage
Sankt Salvator de
Schwäbisch Gmünd*

*Blühende Feldhecken bei
Böbingen an der Rems*

*Blossoming hedges in fields
near Böbingen an der Rems*

*Haies en fleurs près de
Böbingen an der Rems*

39

Das kleine Städtchen Heubach schmiegt sich zwischen Rosenstein und Scheuelberg an den Albtrauf.

The small town Heubach lies snugly between the Rosenstein and the Scheuelberg.

Dans l'Albtrauf, la petite ville d'Heubach se blottit entre les côteaux du Rosenstein et du Scheuelberg.

Der Aalbäumleturm auf dem Aalener Hausberg Langert ist vom Nebel fast verhüllt.

The Aalbäumle Tower on Aalen's Mount Langert is nearly obscured by fog.

Près de la ville d'Aalen, la tour Aalbäumle se dissimule dans le brouillard au sommet du Langert.

In Wasseralfingen lädt das Besucherbergwerk »Tiefer Stollen« zu einer Unterwelt-Stippvisite ein.

In Wasseralfingen we can pay a quick visit underground in the mine "Tiefer Stollen".

La mine touristique « Tiefer Stollen » de Wasseralfingen invite à une visite sous terre.

Aalen, einst Reichsstadt, besitzt
eine nahezu rechteckige Altstadt.

Aalen used to be an imperial town.
Its old town is nearly an exact
square.

L'ancienne ville impériale d'Aalen
possède une vieille ville presque
rectangulaire.

Auf dem Aalener Marktplatz.
Im Hintergrund das Alte Rathaus
mit dem »Spionturm«

At the back of Aalen's marketplace
stands the old town hall
with the "Spionturm".

La place du marché d'Aalen.
A l'arrière-plan, le vieil hôtel de ville
et la tour « Spionturm »

Im Aalener Limesmuseum wird
das Römische Weltreich wieder
lebendig.

The far-reaching Roman Empire
almost comes back to life in the
Limesmuseum in Aalen.

Au Limesmuseum d'Aalen,
l'Empire Romain retrouve vie.

Der Bucher Stausee bei Rainau bietet genügend Platz zum Baden und Segeln. Im Vordergrund sind die Umrisse eines Römerkastells zu erkennen.

The reservoir Lake of Buch near Rainau has plenty of space for swimming and sailing. In the foreground is the silhouette of a Roman fortress.

Le lac du barrage de Buch permet la baignade et la pratique de la voile. Au premier plan, on distingue la silhouette d'un fort romain.

Der Kalte Markt ist der traditionelle Pferdemarkt in Ellwangen. Das Haus Zimmerle bietet eine würdige Kulisse für den dazugehörenden Festumzug.

The Kalter Markt is the traditional horse market in Ellwangen. The ornate Zimmerle House is an excellent backdrop for the festive parade.

Le Kalter Markt est la foire traditionnelle aux chevaux d'Ellwangen. La maison Zimmerle constitue un décor digne du défilé de la fête.

Wacholderheide Dellenhäule im Ebnater Tal

Juniper trees on the moor Dellenhäule in the Ebnat Valley

La lande aux genévriers « Dellenhäule » dans la vallée d'Ebnat

Mit dem Bau der Ellwanger Stiftskirche Sankt Veit wurde im ausgehenden 12. Jahrhundert begonnen.

Construction of the collegiate Church of St Veit in Ellwangen began at the end of the 12th century.

La construction de la collégiale Sankt Veit d'Ellwangen a débuté vers la fin du 12e siècle.

Schloss Baldern thront auf
einem Bergkegel hoch über der
Nebeldecke.

Baldern Castle stands majestically
on a mountain top high above
the mist.

Sur le cône d'une montagne,
le château de Baldern émerge
du brouillard.

*Das malerische Städtchen
Lauchheim wird von
Schloss Kapfenburg überragt.*

*The picturesque small town
Lauchheim lies below
Kapfenburg Castle.*

*La ville pittoresque de
Lauchheim est dominée
par le château de Kapfenburg.*

*An den Hängen der Ostalb,
wie hier bei Schloss Kapfenburg,
gibt es zahlreiche Skilifte.*

*There are many ski-lifts like these
at Kapfenburg Castle on the
slopes of the Eastern Alb.*

*Les remontées mécaniques sont
nombreuses sur les versants
du Jura de l'Est comme ici près
du château de Kapfenburg.*

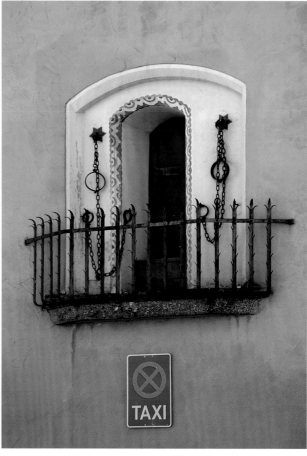

Pranger am Bopfinger Rathaus

The stocks at Bopfingen town hall

Le pilori à l'hôtel de ville de Bopfingen

Das Alte Rathaus am Bopfinger Marktplatz stammt aus dem Jahr 1585.

The old town hall on the marketplace in Bopfingen dates back to 1585.

Le vieil hôtel de ville sur la place du marché de Bopfingen date de l'année 1585.

Ruine Flochberg bei Bopfingen an einem Winterabend

The ruins of Flochberg near Bopfingen on a winter's evening

Près de Bopfingen, les vestiges du château de Flochberg par un soir d'hiver

51

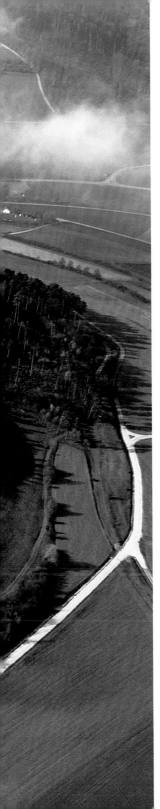

Schäfer auf dem Ipf

Shepherd on the Ipf

Un berger sur l'Ipf

Der 668 Meter hohe Ipf ist von mehreren Wallanlagen überzogen und diente einst den Kelten als Höhenburg.

The Ipf has an altitude of 668m. Numerous ramparts cover its surface and it was used by the Celts as a mountain hideaway.

L'Ipf (668 m) est couvert de plusieurs systèmes de fortifications; autrefois, il servait de forteresse aux Celtes.

Schmuckgiebel in Nördlingen

Ornamented gables in Nördlingen

Pignons décoratifs à Nördlingen

Die gesamte Nördlinger Altstadt ist von einer völlig intakten Stadtmauer umgeben. Im Hintergrund breitet sich die fruchtbare Rieslandschaft aus.

The wall which surrounds Nördlingen's old town is still completely intact. In the background is the fertile landscape of the Ries.

La vieille ville de Nördlingen est entièrement entourée d'une enceinte encore intacte. A l'arrière-plan s'étend le paysage fertile du Ries.

54

Rundbau im Acker
bei Schloss Taxis

Circular building in a field
near Taxis Castle

Édifice rond dans un champ
prés du château des Taxis

Unweit von Dischingen erhebt sich
die imposante Anlage von Schloss
Taxis.

Not far from Ditzingen stands the
impressive Taxis Castle.

Non loin de Dischingen s'élèvent
les bâtiments imposants du château
des Taxis.

Der künstlich angelegte Härtsfeldsee wird von der Egau gespeist.

The artificial Lake Härtsfeld is fed
by the River Egau.

Le Härtsfeldsee, un lac artificiel
alimenté par l'Egau

Auf dem Härtsfeld verkehrt heute eine Museumsbahn zwischen Neresheim und Bahnhof Sägmühle.

Today a museum train runs between Neresheim and the sawmill station in the Härtsfeld.

Aujourd'hui, un train historique circule sur le Härtsfeld, entre Neresheim et la gare « Sägmühle ».

Die bestens erhaltene Burg Katzenstein stammt aus staufischer Zeit.

Katzenstein Castle dates back to the Staufer and is in excellent condition.

Le Katzenstein, château-fort parfaitement conservé, date de l'époque des Staufen.

Die Neresheimer Abteikirche stellt einen Höhepunkt im Schaffen des Baumeisters Balthasar Neumann dar.

The abbey church is a masterpiece of the master builder Balthasar Neumann.

L'abbatiale de Neresheim est un point culminant dans l'œuvre de l'architecte Balthasar Neumann.

Die mächtige Anlage der Benediktinerabtei Neresheim dominiert das gleichnamige Härtsfeldstädtchen.

The massive Benedictine Abbey in Neresheim takes pride of place in the small town in the Härtsfeld.

L'ensemble imposant de l'abbaye bénédictine de Neresheim domine la petite ville du même nom.

Härtsfeld-Landschaft bei Großkuchen

Härtsfeld scenery near Großkuchen

Paysage du Härtsfeld près de Großkuchen

Blick über Feld, Flur und Wald auf den Neresheimer Ortsteil Elchingen

View of Elchingen in Neresheim across woods, fields and meadows

Au-delà des champs, des près et des forêts, vue sur Elchingen, commune associée de Neresheim

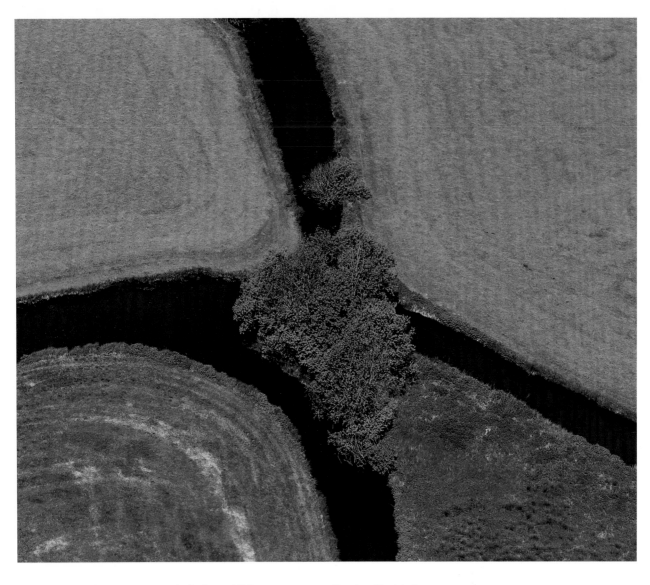

Im Brenztal bei Aufhausen

In the Brenztal Valley
near Aufhausen

Dans la vallée de la Brenz,
près d'Aufhausen

Direkt am Brenztopf befindet
sich das Königsbronner Rathaus
und die ehemalige Hammer-
schmiede samt Turbinenhaus.

The Königsbronn town hall and the
former hammer mill and turbine
house lie just next to the Brenztopf.

Au bord du Brenztopf (le lac-source
de la Brenz), se situent l'hôtel
de ville de Königsbronn et
l'ancienne martellerie avec
sa salle des turbines.

Auf dem Eugen-Jaekle-Platz
in Heidenheim; im Hintergrund lugt
der Turm der Michaelskirche
über die Dächer.

On the Eugen Jaekle Square
in Heidenheim: the tower of
St Michael's Church rises
above the rooftops.

La Eugen-Jaekle-Platz
d'Heidenheim; à l'arrière-plan
la tour de la Michaelskirche
apparaît au-dessus des toits.

Heidenheim an der Brenz ist mit
knapp 50 000 Einwohnern der
Hauptort im Landkreis Heidenheim.

Heidenheim an der Brenz has just
under 50,000 inhabitants and is
the most important town in the
Heidenheim district.

Heidenheim sur la Brenz
compte 50 000 habitants.
C'est le chef-lieu d'un ensemble
territorial du même nom.

Schloss Hellenstein
im eisigen Griff des Winters

Hellenstein Castle
in the dead of winter

Le château d'Hellenstein
aux mains glacées de l'hiver

*Der mächtige Rondellturm auf
Schloss Hellenstein*

*Hellenstein Castle's massive
round tower*

*La monumentale tour ronde
du château d'Hellenstein*

*Das »gepiercte«
Heidenheimer Rathaus*

*Heidenheim's "pierced"
town hall*

*L'hôtel de ville d'Heidenheim
et son « piercing »*

Im Norden der Heidenheimer Innenstadt wurde ein ehemaliges Industrieareal für die Landesgartenschau in eine prächtige Parkanlage verwandelt.

In the north of Heidenheim's centre an industrial estate has been rebuilt as a gorgeous park for the state garden show.

Au nord d'Heidenheim-centre, une ancienne zone industrielle a été transformée en un magnifique parc à l'occasion de l'exposition horticole du Land.

Felder-Grafik
bei Herbrechtingen

Graphic shapes in a field
near Herbrechtingen

Formes géométriques des champs
près d'Herbrechtingen

Grüne Insel im Rapsfeld
bei Oggenhausen

A green island in a rapeseed field
near Oggenhausen

Îlot vert dans un champ de colza
près d'Oggenhausen

Ein neues Wahrzeichen für
Giengen an der Brenz: das Museum
»Die Welt von Steiff«

A new sight to see in Giengen
an der Brenz: the museum
"The World of Steiff"

Un nouveau symbole pour Giengen
sur la Brenz: le musée « Le Monde
de Steiff »

Die beiden Türme
der Giengener Stadtkirche

The bell towers
of Giengen's town church

Les clochers
de l'église de Giengen

Von Giengen aus in alle Welt:
der Steiff-Teddybär

Giengen's Steiff teddybears
are irresistible all over the world.

Venu de Giengen, l'ours en peluche
de Steiff connu dans le monde
entier

Kunterbunte Fabrik:
das Biomassekraftwerk
in Herbrechtingen

A multi-coloured factory:
the biomass power plant
in Herbrechtingen

Usine multicolore:
la centrale biomasse
d'Herbrechtingen

Ausflugsziel erster Güte –
das Eselsburger Tal mit den
»Steinernen Jungfrauen«

A wonderful excursion:
to the Eselsburg Valley and its
"Stone Virgins"

Lieu de sorties de choix :
la vallée d'Eselsburg avec les
« vierges de pierre »

Das Eselsburger Tal ist auf ganzer
Länge »schiffbar«.

The Eselsburger Tal Valley is
completely "navigable".

La vallée Eselsburger Tal est
« navigable » sur toute sa longueur.

*Die mäandernde Brenz
bei Bindstein*

*The meanders of the Brenz
near Bindstein*

*Les méandres de la Brenz
près de Bindstein*

*Bauerngarten am Schloss
in Brenz an der Brenz*

*Country garden at the castle
in Brenz an der Brenz*

*Jardin paysan accolé au château
de Brenz an der Brenz*

*Im Renaissance-Kirchlein
Sankt Ulrich in Lontal*

*Inside the renaissance Chapel
of St Ulrich in Lontal*

*Sankt Ulrich, petite église
renaissance à Lontal*

Löchriger Kalkstein:
die Bocksteinhöhle im Lonetal

Full of holes: the limestone Bock-
stein Cave in the Lonetal Valley

Pierre calcaire trouée: la grotte
Bocksteinhöhle dans la vallée
de la Lone

Vor der Vogelherdhöhle

In front of the Vogelherd Cave

En face de la grotte Vogelherdhöhle

Mit 587 Metern ist die Charlotten-höhle bei Hürben eine der längsten Schauhöhlen Süddeutschlands.

The Charlotte Cave near Hürben is 587m long and one of the longest caves that can be visited in southern Germany.

Avec ses 587 mètres de long, la Charlottenhöhle près d'Hürben est l'une des plus longues grottes visitables du Sud de l'Allemagne.

Praktisches Doppel:
die Leonhardskapelle im
Herbrechtinger Teilort Bissingen

Practical architecture:
the Leonhard Chapel in Bissingen
in Herbrechtingen

Très astucieux : la Leonhardskapelle
de Bissingen, commune associée
d'Herbrechtingen

In Gerstetten-Dettingen hat sich eine Ziegelei niedergelassen, die auf Klinker spezialisiert ist.

In Gerstetten-Dettingen a brick-works specialising in clinker-bricks has been built.

À Gerstetten-Dettingen est installée une briqueterie spécialisée dans la production de clinkers.

Aus der Vogelperspektive ist die
kreisrunde Form des Steinheimer
Beckens gut auszumachen.

A bird's eye view of the Steinheim
basin shows its circular shape.

Vu d'en haut, on distingue bien
la forme ronde de la cuve de
Steinheim.

Das felsenreiche Wental bei Bartholomä gehört zu den attraktivsten Ausflugszielen der Ostalb.

A trip to the rocky Wental Valley near Bartholomä is one of the most attractive excursions in the Eastern Alb.

La vallée rocheuse Wental près de Bartholomä est l'une des excursions les plus appréciées du Jura de l'Est.

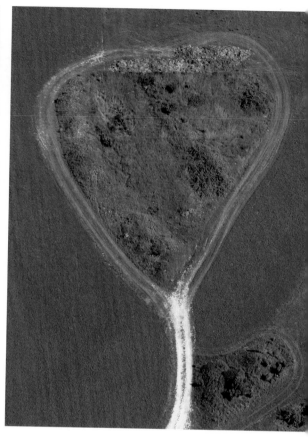

»Herzfeld« bei Gussenstadt

A "heartsfield" near Gussenstadt

Champ en forme de cœur près
de Gussenstadt

Im Hungerbrunnental bei
Heldenfingen findet jedes Jahr
der Brezgenmarkt statt.

The Brezgenmarkt (Pretzel Market)
takes place every year in the
Hungerbrunnental Valley
near Heldenfingen.

Dans le Hungerbrunnental,
non loin d'Heldenfingen, a lieu
la foire annuelle : le Brezgenmarkt

Weite Flächen prägen die Landschaft der Stubersheimer Alb.

These wide spaces characterise the
Stubersheim Alb.

Le paysage du Jura de Stubersheim
est caractérisé par des surfaces
étendues.

Winterlicher Ausritt bei Bernstadt

On horseback through the snow near Bernstadt

Sortie hivernale à cheval près de Bernstadt

Am Lonetopf in Urspring

At the Lonetopf in Urspring

Le Lonetopf (lac-source de la Lone) à Urspring

Die Donaufront mit dem
Metzgerturm in Ulm

The Danube flows past the
Metzgerturm in Ulm

Le front du Danube d'Ulm
avec la Metzgerturm

*Stadthaus und
Ulmer-Münster-Turm*

*The Stadthaus and
the Ulm Cathedral Tower*

*Stadthaus et tour de
la cathédrale d'Ulm*

*In Ulms Fischerviertel
reihen sich knorrige
Fachwerkhäuser dicht an dicht.*

*A tight squeeze: knotty half-
timbered houses in the
fishermen's quarter of Ulm*

*Dans le quartier des pêcheurs
d'Ulm, les maisons à pans de bois
rustiques sont regroupées.*

Der Turm der Langenauer Martinskirche
grüßt schon von weitem.

The tower of St Martin's Church in Langenau
can be seen from very far away.

La tour de la Martinskirche de Langenau
est visible de loin.

Das mit Wasserläufen
und Tümpeln übersäte
Langenauer Ried wirkt im
Winter noch märchenhafter.

Watercourses and ponds cover
the marsh in Langenau—it is like
a fairyland in winter.

Le marais de Langenau, parsemé
de cours d'eau et de mares,
est encore plus féerique en hiver.

Die Ostalb – ein Land am Rand

Was die Ostalb ist, kann ein Lexikon leicht erklären: Es handelt sich um den östlichen Teil und östlichsten Teil der Schwäbischen Alb bis zu den Ellwanger Bergen. Ein bisschen Ostalb ragt in den Landkreis Göppingen und in den Alb-Donau-Kreis, doch der Löwenanteil zählt zum Kreis Heidenheim und zum Ostalbkreis. Knapp 2300 Quadratkilometer ist die Ostalb groß, für rund 500 000 Menschen ist sie der Lebensmittelpunkt. Und doch liegt die Ostalb am Rand.

Dass sie am Rand liegt, daran hat sich die Ostalb lange gewöhnt. Die Jurameere, deren Ablagerungen vor 180 Millionen Jahren die Alb zu bilden begannen, sie schwappten hier an ihre Ufer, sozusagen an ihren Rand. Und bis heute ist die Ostalb vom Albrand geprägt, dessen Kammlinie vom Kalten Feld über den Rosenstein bei Heubach bis ins Nördlinger Ries läuft. Man ist am Rand der Alb, und am Albrand sowieso.

Die Ostalb ist keine einheitliche Landschaft. Sowohl der Albuch wie auch die Flusstäler von Fils, Rems, Jagst, Kocher und Brenz teilen unterschiedliche Landschaftsräume ab. Mal läuft die Ostalb in den Schwäbisch-Fränkischen Wald aus, mal in die Ellwanger Berge, mal mündet sie in die Albhochfläche, bricht im Albtrauf oder endet im Donaumoos und damit bereits im Alpenvorland. Die Ostalb schafft das übrigens ohne große Dis-

tanzen: Kaum eine halbe Stunde muss man mit dem Auto fahren, um bei bester Fernsicht den Blick auf den Stuttgarter Fernsehturm (vom Rosenstein oder den Kaiserbergen) mit einem Alpenpanorama (von der Gerstetter Alb) zu tauschen.

In den Tälern drängten und drängen sich die Menschen: Fast zwei Drittel aller Ostälbler leben heute in den großen Siedlungsachsen, alle großen Städte liegen dort, wo es Wasser und Schutz vor dem rauen Klima gibt. Nicht nur auf dem über 780 Meter hohen Kalten Feld bei Degenfeld nämlich kann man erleben, was der Ostalb den Namen »Schwäbisch Sibirien« eingetragen hat. Auch am Albuch, auf der Stubersheimer Alb und dem Härtsfeld ist es oft rau, meistens etwas kühler und niemals lieblich. Weder große Obstplantagen noch Weinberge findet man hier, statt Rindern oder Schweinen hielt und hält man die genügsamen Schafe, die ihrerseits die Kunstlandschaft der Wacholderheiden prägten: ein durch Verbiss entstandener Wechsel zwischen Heide und Gebüsch.

Fast 90 Prozent der Ostalb werden bis heute land- und forstwirtschaftlich genutzt, abseits der Ballungsräume sind die Gegenden ländlich geprägt. Und selbst eine Industriestadt wie Heidenheim hält an agrarischer Tradition fest: Der Heidenheimer Schäferlauf ist das größte Volksfest der Ostalb.

Wie die Alb im Osten mit am rauesten ist, so gelten auch die Ostälbler als Älbler in Hochpotenz: Sauer wie ihr Most sei ihr Naturell, hieß es früher, kauzig und eigenbrödlerisch und zäh sei man in den kleinen Dörfern, deren Höfe mit Äckern überlebten, auf denen außer Steinen ja doch nicht viel wachse. Das ist nicht gelogen, aber lange her. Gerade die Armut sorgte für eine frühe und rege Industrialisierung, sorgte für Weltfirmen, deren Namen jedermann, deren Heimatorte aber kaum jemand kennt. Und eben diese Industrialisierung hat seit dem Zweiten Weltkrieg (den die Ostalb einmal mehr eher am Rand erlebte) für massenhaft Zuzug gesorgt. In den Städten mischt sich seither breites Ostalb-Schwäbisch, das zu Teilen schon ins Bayerische tendiert, mit Hochdeutsch oder anderen Akzenten. Ein bisschen Ostalb wirkt aber in jedem: Dass etwas »kähl«, also »schrill« oder »eigenartig« sei, hört man in Heidenheim oder Schwäbisch Gmünd auch von Migranten aus der Türkei.

Wie die Schwäbische Alb überhaupt ist auch die Ostalb auf Kalk gebaut, und doch hat sie einige Besonderheiten zu bieten. Auch in Zeiten der Urmeere lag die Ostalb eher am Rand, und in den Gezeiten lagerten sich andere Sedimente ab als in jenen Bereichen der Alb, die einst auf »hoher See« waren: Allen voran der Oolith, jener »Eierstein«, der dank seiner Einlagerungen als stabiler Baustoff gefragt war und rund um Heidenheim auch abgebaut wurde. Stabiler Kalk, um den herum der weniger stabile Stein erodiert, das sorgt auf der Ostalb immer wieder für bizarre Felsenlandschaften: Die »Steinernen Jungfrauen«

im Eselsburger Tal bei Herbrechtingen sind zusammen mit dem Felsenmeer im Wental zwischen Steinheim und Bartholomä die bekanntesten Sehenswürdigkeiten dieser Art.

Es musste und muss keineswegs von Nachteil sein, am Rand zu stehen. Seit 80 000 Jahren leben Menschen auf der Ostalb, denn bei allen vier Eiszeiten blieb das Gebiet hart am Rand – und gletscherfrei. Eine Vielzahl urzeitlicher Funde sind die Folge – mit einem kleinen Pferdchen aus Elfenbein wurde in der Vogelherdhöhle im Lonetal (Niederstotzingen) eines der ältesten Kunstwerke der Menschheit gefunden. Doch auch die Ofnethöhle am Härtsfeldrand, die Kleine Scheuer, die Irpfelhöhle bei Giengen oder die Heidenschmiede in Heidenheim, der Rosenstein über Heubach sind bedeutende Fundstellen. Und ab der Jungsteinzeit entstanden auf der Ostalb auch die ersten Städte: Der Goldberg gilt als »Troja der Ostalb« mit vielen Kulturschichten übereinander. Dort stand einst eine der größten Hallstattsiedlungen ganz Süddeutschlands. Und auch hier könnte man mit der Kocherburg weitermachen, mit dem Buigen bei Herbrechtingen und natürlich dem Bopfinger Ipf.

Später geriet die Ostalb erneut an den Rand, an den Rand des Römischen Imperiums. Um 100 nach Christus wird der Alblimes errichtet, mit ihm das Kastell und die Garnisonsstadt Aquileia – das heutige Heidenheim. 50 Jahre später wurde der Limes noch ein Stück nach Osten verlegt, sodass auch Aalen auf eine reiche römische Vergangenheit zurückblicken kann. Das dortige Limesmuseum und das Römerbadmuseum in Heidenheim, Wachtürme in Lorch und Buch, die Gebäude von Utzmemmingen

d das Freilichtmuseum von Rainau-
ch markieren heute Lage und Umfeld
s frischgebackenen Weltkulturerbes.

259 überrannten die Alamannen
n Limes. Mit der Randlage der Ost-
o war es vorbei, was freilich kein
ufstieg war. Zwar zeigt das Ellwanger
amannenmuseum die Leistungen
eses Volkes, doch vergehen über
nfhundert Jahre, ehe nach der letz-
n römischen Inschrift (eine Bauin-
hrift aus Hausen ob Lontal aus dem
hr 257) mit einem Dokument Karls
s Großen aus Herbrechtingen (774)
eder eine Urkunde vorliegt.

Erst mit den Staufern gerät die
stalb wieder ins Rampenlicht der Ge-
hichte: Von den drei »Kaiserbergen«
ohenstaufen, Rechberg und Stuifen
us etablieren sich die Staufer als
errscher, Schwäbisch Gmünd wird
ster Verwaltungsmittelpunkt des
äteren europäischen Reiches. Doch
as Mittelmeerklima bekommt den
errschern besser als die Winter auf
er Ostalb. Obschon Wiege eines mit-
lalterlichen Großreiches gerät die
stalb selbst schnell wieder an den
and.

Profitiert hat die Ostalb dennoch
mmens von ihren Staufern: Klöster
ie Lorch, Neresheim und Anhausen
ehen auf die Staufer zurück, Sankt
eit in Ellwangen, die Gmünder Jo-
anniskirche und die Galluskirche in
renz. Und was auf der Ostalb an Bur-
en stand und steht, ist ebenfalls fast
mmer staufisch. Das galt für die Lau-
erburg wie die Kochenburg, gilt für
ohenrechberg wie Staufeneck, für
ellenstein und Kaltenburg, Wäscher-
urg und Güssenburg, für Schloss Bal-
ern und natürlich auch für Burg Kat-
enstein auf dem Härtsfeld.

Viele kleine Burgen für viele kleine
Herrscher? Bis in die Neuzeit hinein
sorgte die Randlage vor allem dafür,
dass Gebietsherren von allen Seiten die
Finger nach der Ostalb ausstreckten.
Zwischen Württemberg und Bayern
wurde mancher Flecken hin- und her-
geschoben, dazwischen sorgten Territo-
rialherren wie die Grafen von Rechberg,
die Herren auf Hellenstein oder von
Adelmannsfelden, die Freiherren von
Woellwarth oder die Schenken von Limpurg für einen Flickenteppich. Die bis
heute präsenten Dynastien derer von
Maldeghem und von Thurn und Taxis
standen in nichts nach. Und dann gab es
ja auch noch die Reichsstädte Gmünd,
Aalen, Bopfingen und Giengen sowie
die geistlichen Herrschaften, etwa des
Ellwanger Fürstpropstes. Das sorgt für
eine Vielzahl von Herrschaftsbauten,
freilich selten in der Größe, die für inter-
nationale Bekanntheit sorgen könnte.

Als Hinterbänkler ging die Ostalb
in die frühe Neuzeit, doch nicht zu-
letzt im Dreißigjährigen Krieg bot die
Randlage keinen Schutz mehr. Die
großen Schlachten (wie die von Nördlingen) fanden zwar in der Nachbar-
schaft statt, doch zu leiden hatte die
Gegend nicht minder. Die Reichsstädte
brannten, die Dörfer wurden verwü-
tet. Seither ziehen sich klare Glau-
bensschranken über die Ostalb, tren-
nen evangelische, ehemals freie
Reichsstädte von den Herrschaften der
Klöster und Reichsritter.

Die Ostalb rappelte sich auf, zwischen 1650 und 1750 verdoppelt sich
die Bevölkerung, und es wird eng auf
den sowieso steinigen Äckern. Nun
entdeckt die Ostalb ihre Industrie, die
eigentlich schon viel länger Tradition
hat: Seit 1356 verhüttet man in Kö-

Landmarke im Osten: A landmark in the east: Un point de repère à l'est :
Schloss Kapfenburg   Kapfenburg Castle   le château de Kapfenburg

nigsbronn Eisenerz, der Ort darf sich
als ältester deutscher Industriestand-
ort bezeichnen. Ton und Kalk kann
man auf der Ostalb abbauen, Gruben
für Bohnerz werden gegraben und in
Aalen Bergwerke. Schwäbisch Gmünd
etabliert sich als Schmuckzentrum, in
Heidenheim treibt die Wasserkraft der
Brenz Papiermühlen an und legt den
Grundstein für eine moderne Industriestadt.

Die napoleonischen Reformen
beenden den politischen Flickenteppich, doch zu einer bewussten Region
wächst die Ostalb nur schwer zusammen. Nunmehr am Rand von Württemberg orientiert man sich teils in die
Kernlande, teils wendet man sich aber
auch Bayern zu. Die Gebietsreformen
des 20. Jahrhunderts ändern daran
nichts. In Stuttgart hat man seither
die Region Ostwürttemberg erdacht,

die kleinste des Landes und natürlich
ohne ein Oberzentrum. Das bemerkt
selbst der Tourist: Aalen wirbt für Aalen, Heidenheim für Heidenheim und
das Stauferland sprengt sowieso die
verordneten Regionalgrenzen.

Dennoch liegt die Ostalb auf der Eu-
ropakarte heute an einer anderen Stelle.
Deutschland ist wiedervereinigt, die EU
hat sich nach Osten erweitert. Neue Ver-
kehrsanbindungen und schnellere Ver-
bindungen haben aus der Randlage eine
Position mitten zwischen den Wirt-
schaftszentren Stuttgart und München
einerseits und Nürnberg und Ulm ande-
rerseits werden lassen. Das verschiebt
manchen Schwerpunkt, und so stellt die
Ostalb heute fest, dass sie eigentlich
recht zentral liegt. Etwas ganz Neues für
das Land am Rand.

Hendrik Rupp

The Eastern Alb—land at the edge

The Eastern Alb is quickly described in the encyclopaedia: It includes the eastern section of the Swabian Alb and extends northwards to the mountains of Ellwangen. While most of it lies in the administrative districts of Heidenheim and the Eastern Alb, a small part of it reaches into the Göppingen and Danube Alb districts. The Eastern Alb is just under 2300 square kilometres in size and is a central area for about 500,000 people. And yet it remains at the edge.

The Eastern Alb became accustomed to its marginal position long ago. Deposits from the Jurassic seas laid the foundation for the Alb 180 million years ago and the waves splashed on coasts here, the seas' own shores. And the Eastern Alb still shows the formative influence of the Swabian Alb, whose crest runs from the Kaltes Feld region to Rosenstein mountain near Heubach and from there to the Nördlinger Ries. We are at the border of the Swabian Alb, at its very edge.

The scenery of the Eastern Alb is diversified. The Albuch and the valleys of the rivers Fils, Rems, Jagst, Kocher and Brenz all have their own individual landscapes. The Eastern Alb merges with the Swabian-Franconian Forest and with the Ellwangen mountains. In another place it spreads out to an plateau, stops where the forest ends with the pasture at the edge of

an escarpment—or it merges with the mossy Danube, becoming one with the Alps. This all happens quite fast: Just half an hour in a car will let us replace the wide-angled view of the Stuttgart television tower from the Rosenstein or the Kaiserberge with an alpine panorama from the Gerstetter Alb.

The valleys have nearly always been populated. Nearly two thirds of all inhabitants of the Eastern Alb live in the big urban areas in the valleys, all the large towns near water and sheltered from the raw climate. Not only the Kaltes Feld near Degenfeld at 780m deserves the nickname "Swabian Siberia"—it applies to all of the Eastern Alb. In the Albuch, on the Stubersheim Alb and in the Härtsfeld it is often inclement, usually cooler and never lovely. Neither wide orchards nor vineyards are to be found here, no cattle or swine but simple sheep have been kept here until today. It is they, together with the juniper trees, that decorate the moorland: a counterpoint of heath and the odd clump of brush.

Nearly ninety percent of the Eastern Alb is used today for agriculture and forestry. Outside of the conurbations it is mostly countryside—and even an industrial town like Heidenheim still maintains its agrarian tradition: The Heidenheim Shepherds' Race is the biggest popular holiday in the Eastern Alb.

Just as the Alb is at its most inclement in the east, the inhabitants of the Eastern Alb are known as people from the Swabian Alb to the extreme: their disposition has been said to be as sour as their cider, they were thought to live as tenacious eccentrics in their little villages with their courtyards and fields even though "not much could grow there apart from stones". While perhaps not completely untrue, that was all a long time ago. Poverty made intensive industrialisation attractive early. International companies whose names everyone knew developed—but their places of origin remained largely unknown. It was precisely this industrialisation after the Second World War—which the Eastern Alb again experienced on the whole only marginally—which encouraged many, many people to move there. Since then one can hear broad Eastern Alb Swabian, sometimes with a smattering of Bavarian, together with other dialects and standard German in the towns. But Eastern Alb Swabian comes through in all of them: even the Turkish immigrants in Heidenheim or Schwäbisch Gmünd say "kähl", which means "shrill and peculiar".

Limestone forms the groundstone for the Eastern Alb as it does for the entire Swabian Alb—but that of the Eastern Alb is a speciality. At the time of the primeval seas the Eastern Alb lay to one side and during the ages different sediments settled there than did in central areas. This different sediment became oolite or "eggstone", a strong building stone which was in great demand and quarried all around Heidenheim. This more resistant limestone survived the erosion which dis-

solved the softer limestone arou[nd] it—and that resulted in very stran[ge] rock formation landscapes in the Eas[t]ern Alb: The "Steinerne Jungfrau[en]" (Stone Virgins) in the Eselsburg Vall[ey] near Herbrechtingen and the "Felse[n]meer" (Sea of Rocks) in Wental Vall[ey] between Steinheim and Bartholom[ä] are the most famous.

A place at the edge does not an[d] never did have to be a disadvantag[e.] The Eastern Alb has been inhabited f[or] 80,000 years—during all four Ice Age[s] the area remained at the edge and fre[e] of glaciers. As a result, many prehistori[c] artifacts have been found there. One o[f] the oldest known works of art is th[e] miniature ivory horse from th[e] Vogelherd Cave in the Lonetal Valle[y] (Niederstotzingen). Further importan[t] finds have been made at the Ofnet Cav[e] close to the Härtsfeld, at the Klein[e] Scheuer, the Irpfel Cave near Gienger[,] the Heidenschmiede in Heidenheim an[d] the Rosenstein at Heubach. During th[e] neolithic period the first towns wer[e] built on the Eastern Alb: Goldberg ha[s] so many levels of settlement that it i[s] known as the "Troy of the Eastern Alb"[.] It was one of the biggest Hallstatt settlements in all of southern Germany[.] There is more: The Kocherburg, the Buigen near Herbrechtingen and, o[f] course, the Bopfinger Ipf.

Later the Eastern Alb became par[t] of the Roman Empire—but again on its border. In 100 AD the limes on the Al[b] was completed and the fortress and garrison town Aquileia, today Heidenheim, were built. Fifty years later the limes was extended eastwards as far as Aalen, which now enjoys a rich Roman heritage. The Limes Museum in Aalen, the Roman Baths Museum in Hei-

heim, watch-towers in Lorch and
.h, the open air museum in
nau-Buch and a building in Utz-
mmingen show the location and ex-
t of the new inter-cultural world
ver.

In 259 AD the Alamannics overran
limes. This meant that the Eastern
was no longer part of the Roman
pire, which was not an advantage.
Alamannic Museum in Ellwangen
ws the achievements of this group,
it was not until 500 years later
t documentation continues. The
Roman inscription is on construc-
n in Hausen ob Lontal and was
de in 257 AD. The next document
s written by Charlemagne in 774.
Eastern Alb did not become his-
ically important again until the
ufer ruled. They established them-
ves on the three Kaiserberge—the
henstaufen, the Rechberg and the
iifen. Schwäbisch Gmünd became
first administrative centre of the
ropean empire which developed
er. The winters on the Eastern Alb,
wever, did not agree with the
nquerers as well as those in the
diterranean did and although it
s the birthplace of a great medieval
pire the Eastern Alb was soon
shed to the edge again. Neverthe-
s, the Staufer left a wonderful heri-
ge in the Eastern Alb: monasteries at
rch, Neresheim and Anhausen,
Veit's Church in Ellwangen, the
urch of St Johannis in Schwäbisch
nünd and the Church of St Gallus in
enz. And the castles on the Eastern
o were nearly all built by the Staufer.
is is true of the Lauterburg, the
chenburg, the Hohenrechberg,
aufeneck Castle, Hellenstein Castle,

the Kaltenburg, the Wäscherburg, the
Güssenburg, Baldern Castle and of
course Katzenstein Castle in the
Härtsfeld.

Many castles for many minor rulers? In the 16th century the marginal
position of the Eastern Alb continued
to make it very attractive to a dis-
persed variety of territorial sovereigns.
Many places between Württemberg
and Bavaria were exchanged repeat-
edly and a patchwork of territories resulted from the claims of the Counts
of Rechberg, the Lords of Hellenstein
and Adelmannsfelden, the Barons of
Woellwarth and the "Schenke" of Limpurg. The dynasties of Maldeghem and
Thurn and Taxis, which continue to ex-
ist today, had similar claims. In addi-
tion to these were the imperial towns
Schwäbisch Gmünd, Aalen, Bopfingen
and Giengen and the residences of ec-
clesiastical leaders such as the provost
of Ellwangen. This resulted in a great
number of rulers' residences seldom
big enough to ensure international
recognition.

In 1500 the Eastern Alb entered
modern times as a backwater and its
marginal position meant it was completely open to attack during the
Thirty Years War. Although big battles
such as the Battle of Nördlingen were
only fought in areas nearby, the Eastern Alb suffered as well. The imperial
towns burned and the villages were
destroyed. Since then there has been
clear definition of protestant towns
which were previously free imperial
towns and catholic towns which were
the residences of the monasteries,
convents and imperial knights.

The Eastern Alb recovered and the
population doubled between 1650

Das Härtsfeld ist ideales
Langlaufgebiet.

The Härtsfeld is perfect for
cross-country skiing.

Le Härtsfeld est un terrain
idéal pour le ski de fond.

and 1750, pushing people closer together on the stony land. Industry was
rediscovered; iron ore had been
smelted in Königsbronn since 1356
and today it enjoys a reputation as
Germany's oldest industrial town. Clay
and limestone can be quarried in the
Eastern Alb, pits were dug for iron ore
and mines were built in Aalen.
Schwäbisch Gmünd established itself
as a central place for jewellery and in
Heidenheim hydraulic power drove
the paper mills in Brenz and gave it its
start as a modern industrial town.

Although the Napoleonic Reforms
put an end to the political patchwork,
the Eastern Alb coalesced only slowly to
a homogenous region. Now at the border of Württemberg, it oriented itself
partly towards the inner areas and
partly towards Bavaria. The territorial
reforms of the 20th century did not

change that. Since then Stuttgart has
renamed the area "East Württemberg";
it is the smallest region in the state
Württemberg and has no capital. Even
the tourist notices that—Aalen adver-
tises for Aalen, Heidenheim for Heidenheim and the Stauferland region is a
special case of its own.

Nevertheless, the Eastern Alb has a
very different location today on the
map of Europe. Germany has been uni-
fied and the European Union has grown
in the east. New traffic flows and faster
connections have transformed a position at the edge into one in the middle
between Stuttgart and Munich on the
one hand and Nürnberg and Ulm on the
other. The emphasis has shifted and the
Eastern Alb today finds itself at the
centre. That is something quite new for
a land at the edge.

Hendrik Rupp

Le Jura de l'Est – une région à l'écart

Le mot Ostalb (Jura de l'Est) se comprend facilement à l'aide d'un dictionnaire. Il s'agit de la partie est du Jura souabe, la plus à l'est même, qui s'étend jusqu'aux montagnes d'Ellwangen. Si un petit bout de terre s'avance dans les districts (Landkreise) de Göppingen et de l'Alb-Donau, la part du lion est située dans les districts d'Heidenheim et de l'Ostalb. Le Jura de l'Est couvre à peine 2 300 kilomètres carrée et, bien qu'il soit au centre de la vie d'environ 500 000 hommes et femmes, il reste malgré tout à l'écart.

Etre à l'écart a toujours été le destin du Jura de l'Est. Les mers jurassiques, dont les sédiments commencèrent à former le Jura il y a 180 millions d'années, clapotaient ici, et les limites de l'Alb correspondent à leurs rives. Jusqu'à aujourd'hui encore, le Jura de l'Est est marqué par l'Albrand (littéralement et effectivement « le bord du Jura »), une chaîne montagneuse qui s'étire du Kaltes Feld jusqu'au Nördlinger Ries, en passant par le Rosenstein près d'Heubach.

Le Jura de l'Est n'offre pas un paysage uniforme. L'Albuch ainsi que les vallées de la Fils, de la Rems, de la Jagst, du Kocher et de la Brenz, délimitent des espaces très diversifiés. D'un côté, le Jura de l'Est s'achève dans la forêt Souabe-Franconienne, de l'autre il débouche sur le haut plateau du Jura, s'arrêtant net devant l'Albtrauf ou se terminant dans les contreforts des Alpes, les basses terres du Danube (Donaumoos). Et tout ceci sur un territoire peu étendu : il faut à peine une demi-heure en voiture pour aller du Rosenstein ou des Kaiserberge – qui offrent une belle vue sur la tour des télécommunications de Stuttgart par temps clair – à la Gerstetter Alb et son magnifique panorama sur les Alpes.

Les hommes ont toujours afflué vers les vallées : presque deux tiers des habitants vivent aujourd'hui dans les grands axes d'urbanisation et les grandes villes, près des cours d'eau et à l'abri du climat rude des hauteurs. Sur le Kaltes Feld (780 m), près de Degenfeld, on comprend parfaitement pourquoi le Jura de l'Est fut surnommé la « Sibérie souabe ». Mais ce n'est pas le seul endroit : sur l'Albuch, le Jura de Stubersheim et le Härtsfeld aussi, le climat est souvent rude, la plupart du temps plus frais qu'aux alentours, et jamais doux. On n'y trouve ni vergers, ni vignes, et au lieu d'élever des bovins ou des cochons, on élève un animal moins exigeant, le mouton. Ce dernier est à l'origine du paysage typique des landes de genévriers : le phénomène d'abroutissement (action de brouter les bourgeons, pousses, rameaux et feuilles des végétaux ligneux) explique cette alternance entre buissons et landes.

Presque 90 pour cent du Jura de l'Est sont constitués d'exploitations agricoles ou forestières et, dès que l'on s'éloigne des grandes agglomérations, le pays devient très rural. Même une ville industrielle comme Heidenheim conserve ses traditions paysannes : la plus grande fête populaire de le Jura de l'Est reste la course des bergers d'Heidenheim.

De même que l'est du Jura est sa partie la plus froide, les Jurassiens qui y habitent passent pour avoir le caractère le plus fort : on disait autrefois des villageois habitant ces fermes, où poussaient surtout des cailloux, qu'ils avaient un tempérament original, un peu sauvage et tenace, et on leur prêtait volontiers un naturel aigri (comme leur vin de pomme – le « Most »). Ce n'était probablement pas faux, mais il y a bien longtemps de cela ! C'est justement cette pauvreté qui a contribué à une industrialisation active et précoce, donnant naissance à des entreprises dont les noms (mais pas les villes d'origine) sont connus dans le monde entier.

Comme tout le Jura souabe, le Jura de l'Est est « bâti » sur du calcaire mais il présente aussi d'autres particularités. A l'ère primaire, le Jura de l'Est était déjà un peu à l'écart et les marées y déposèrent des sédiments d'une autre nature que celle des parties du Jura situées en « haute mer » : en tout premier lieu l'oolithe, aux grains comparables à des œufs de poissons, un matériau de construction recherché pour sa résistance. On l'extrayait autour d'Heidenheim. Lorsque la roche calcaire dure est entourée de calcaire tendre, sujet à l'érosion, il se forme des paysages rocheux étranges : les « vierges de pierre », dans la vallée d'Eselsburg près d'Herbrechtingen, et la « Mer de rochers », dans le Wental entre Steinheim et Bartholomä, sont les curiosités de ce genre les p[lus] connues.

Se trouver un peu à l'écart n'a [...] mais constitué un inconvénient maje[ur]. La preuve, le Jura de l'Est est habité [...] puis 80 000 ans car pendant les qua[...] ères glaciaires, la région se trouv[...] juste à la limite des glaciers, do[...] abritée. Ceci explique que des foui[...] aient permis de mettre à jour de nom[...]breux objets datant de la Préhistoi[re] dont un petit cheval en ivoire décou[...] dans une grotte de la vallée de la Lone [...] Niederstotzingen (la Vogelherdhöhle). [...] s'agit d'une des plus anciennes œuvr[es] d'art de l'humanité. Autres grott[es] ayant permis des fouilles fructueuses [...] la Ofnethöhle sur le bord du Härtsfel[d] la Kleine Scheuer, l'Irpfelhöhle près d[e] Giengen, la Heidenschmiede à Heiden[...]heim et le Rosenstein sur les hauteur[s] de Heubach. C'est à partir du néoli[...]thique que se développèrent les pre[...]mières villes du Jura de l'Est. Sur l[e] Goldberg, considéré comme la « Troie d[e] l'Ostalb », se superposent les traces de [...] nombreuses cultures qui s'y sont succé[...]dées, dont une colonie de l'ère de Hall[...]statt (l'une des plus grandes du sud d[e] l'Allemagne). Même richesse archéolo[...]gique sur la Kocherburg, le Buigen prè[s] d'Herbrechtingen et bien évidemmen[t] le Bopfinger Ipf. Ce territoire récemment déclaré patri[...]moine mondial de l'humanité s'enor[...]

gueillit d'une multitude de sites : le Musée du Limès d'Aalen et le Musée des Thermes Romains d'Heidenheim, les tours de guet de Lorch et de Buch, les édifices d'Utzmemmingen, et le musée en plein air de Rainau-Buch.

En 259, les Alémans prenaient d'assaut le limès. Le Jura de l'Est ne se trouvait plus à l'écart, ce qui en l'occurrence ne constituait pas une promotion. Bien que le musée des Alémans à Ellwangen mette en lumière les réalisations de cette peuplade, il fallut attendre plus de 500 ans après la dernière inscription romaine datant de 257 (sur un bâtiment à Hausen ob Lontal), pour retrouver une trace écrite (sur un document de Charlemagne datant de 774, à Herbrechtingen).

Avec la dynastie des Staufen, le Jura de l'Est revint sur le devant de la scène historique : c'est sur les trois « montagnes impériales » (Kaiserberge), Hohenstaufen, Rechberg et Stuifen, que les Staufen s'établirent en tant que souverains. Schwäbisch Gmünd fut le premier centre administratif du futur empire européen. Mais le climat méditerranéen réussissant mieux aux souverains que les rudes hivers du Jura, le berceau de ce grand empire du Moyen Âge se retrouva de nouveau assez rapidement à la périphérie.

Cependant le Jura de l'Est a tiré d'importants bénéfices de la présence des Staufen : on leur doit des abbayes comme Lorch, Neresheim et Anhausen, ainsi que des églises comme Sankt Veit à Ellwangen, la Johanniskirche à Gmünd et la Galluskirche à Brenz. Quant aux châteaux qui se dressaient ou se dressent encore dans le Jura, ils remontent presque tous aux Staufen : c'était le cas du Lauterburg et du Ko-

chenburg, aujourd'hui disparus, et du Hohenrechberg, du Staufeneck, du Hellenstein, du Kaltenburg, du Wäscherburg, du Güssenburg, du château de Baldern et bien entendu du château de Katzenstein sur le Härtsfeld.

Beaucoup de petits châteaux pour une multitude de petits seigneurs ? Jusqu'à une période encore récente, le fait d'être quelque peu en bordure a fait que des seigneurs venant de tous côtés pouvaient convoiter le Jura de l'Est. Certaines bourgades passèrent ainsi plusieurs fois du Wurtemberg à la Bavière, et vice versa ; le pays fut transformé en un véritable patchwork de petits états par des seigneurs locaux comme les comtes de Rechberg, les seigneurs d'Hellen stein ou d'Adelmannsfelden, les barons de Woellwarth ou les Schenk de Limpurg. Et les familles Maldeghem, Thurn et Taxis – qui ont encore des descendants en Allemagne – ne furent pas en reste. Les villes impériales se multiplièrent (Gmünd, Aalen, Bopfingen et Giengen) et avec elles les souverains épiscopaux, comme par exemple le prince-prieur d'Ellwangen. Ils laissèrent tous une multitude de demeures seigneuriales, mais d'une taille généralement insuffisante pour jouir d'un rayonnement international.

Le Jura de l'Est entra en bon dernier de la classe dans les temps modernes. Sa position à l'écart ne le protégeait plus, surtout pendant la Guerre de Trente Ans. Bien que les grandes batailles, comme celle de Nördlingen, n'aient pas eu lieu directement dans la région, cette dernière n'eut pas moins à en souffrir. Les villes impériales brûlèrent et les villages furent dévastés. Depuis, des frontières religieuses très marquées parcourent le Jura de l'Est, séparant les villes protestantes autrefois villes im-

Im Steinheimer Becken · In the Steinheim basin · Dans le bassin de Steinheim

périales libres, du pouvoir souverain des abbayes et des chevaliers de l'empire.

Entre-temps, le Jura de l'Est a remonté la pente, sa population a doublé entre 1650 et 1750 et l'espace vital s'est peu à peu rétréci dans cette région aux champs pourtant déjà par trop pierreux. Ce fut l'occasion de développer l'industrie, qui faisait déjà partie des activités traditionnelles : en effet, depuis 1356, on fondait déjà le minerai de fer à Königsbronn, qui peut se targuer d'être le plus ancien site industriel d'Allemagne. On exploita les gisements d'argile et de calcaire du Jura de l'Est, on creusa des mines (à Aalen) et des puits pour extraire du minerai de fer. Schwäbisch Gmünd devint centre de la joaillerie et, à Heidenheim, la force motrice de la Brenz faisait fonctionner les moulins à papier, première pierre de la ville industrielle actuelle.

Les réformes napoléoniennes mirent fin au patchwork politique, mais le Jura de l'Est eut beaucoup de difficultés à se forger une identité régionale unifiée. Situé désormais à la limite du Wurtemberg, il s'orienta en partie vers son noyau historique, en partie aussi

vers la Bavière. Les restructurations territoriales du vingtième siècle n'y changèrent rien. Depuis, à Stuttgart, on a inventé la région Wurtemberg-Est, la plus petite du Land, dépourvue de centre principal bien entendu. Le touriste lui même le remarque : Aalen vante Aalen, Heidenheim fait l'éloge d'Heidenheim et le Stauferland, le pays des Staufen, dépasse de toute façon les nouvelles frontières régionales.

Mais depuis peu, le Jura de l'Est occupe une toute autre place sur l'échiquier européen : l'Allemagne est réunifiée et l'Union européenne s'est agrandie vers l'est. Un nouveau réseau de transports, plus rapides, a fait passer le pays de sa position excentrée à une position plus stratégique, entre les grands centres économiques de Stuttgart et de Munich d'une part, et de Nürnberg et d'Ulm d'autre part. La donne a changé et le Jura de l'Est prend soudainement conscience qu'il a finalement une position bien centrale, un sentiment très nouveau pour une région habitée depuis si longtemps à être à l'écart.

Hendrik Rupp

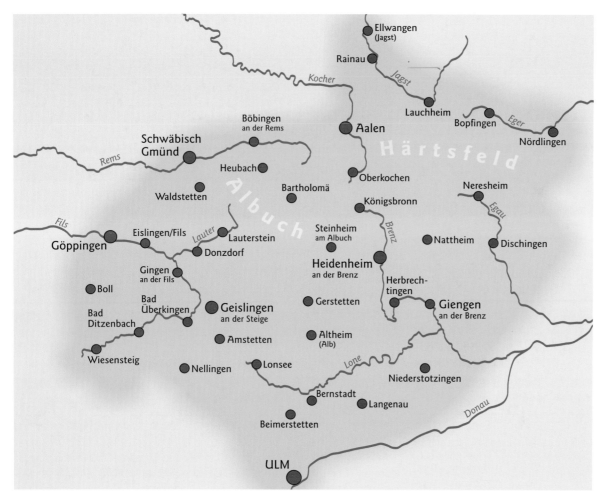

Auf dem Einband:
Blick vom »Ottenbacher Tal« zum Hohenstaufen

Einbandrückseite:
Kloster Neresheim im Nebelkleid

Vorderes Vorsatzblatt:
Ottenbach im Krummtal liegt vor den Wald-kuppen des Rehgebirges. Weit im Hintergrund erhebt sich der Albtrauf bei Donzdorf.

Hinteres Vorsatzblatt:
Die drei Kaiserberge – Stuifen, Rechberg und Hohenstaufen – im Abendlicht

Cover photo:
View of the Hohenstaufen from "Ottenbach Valley"

Back cover:
Mist surrounds Neresheim Monastery

Front inside cover:
Ottenbach in the Krumm Valley lies below a forested hilltop in the Rehgebirge; in the background, there is the steep slope of the Eastern Alb near Donzdorf.

Back inside cover:
The three Kaiserberge Stuifen, Rechberg and Hohenstaufen by evening light

Couverture:
De la « vallée d'Ottenbach », vue sur le Ho-henstaufen

Quatrième de couverture:
L'abbaye de Neresheim dans son manteau de brouillard

Page de garde avant:
Ottenbach est situé au pied des sommets boisés du Rehgebirge, dans la vallée de la Krumm. Au loin s'élève l'Albtrauf, près de Donzdorf.

Page de garde arrière:
Les trois sommets impériaux – Stuifen, Rechberg et Hohenstaufen – dans la lu-mière du soir

2. Auflage 2009

© 2006/2009 by Silberburg-Verlag,
Schönbuchstraße 48,
D-72074 Tübingen.
Alle Rechte vorbehalten.
Bildnachweis:
Geyer-Luftbild/Siegfried Geyer: S. 2, 4/5, 18, 21 (unten), 25, 28/29, 34, 37, 39, 40, 42, 44, 45, 47, 48, 52, 55, 56, 57, 58, 59 (unten), 61, 62, 64, 65, 67, 68, 69 (unten), 70, 71 (beide), 72, 76/77, 82, 83, 84, 86 (beide), 95, hinterer Vorsatz.

Evangelische Akademie Bad Boll/
© Martina Waiblinger: S. 26 (unten).
Margarete Steiff GmbH: S. 73 (links).
Alle anderen Fotos: Rainer Fieselmann.

Übersetzung ins Englische:
Eileen Stemmler-Mohring, Weilheim a. d. Teck.
Übersetzung ins Französische:
Claudine und Jürgen Bartelheimer, Angers.
Umschlag: Frank Butzer, Tübingen, unter Verwendung von Fotografien
von Rainer Fieselmann und Siegfried Geyer.

Druck: Gulde-Druck, Tübingen.
Printed in Germany.

ISBN 978-3-87407-695-1

Besuchen Sie uns im Internet
und entdecken Sie
die Vielfalt unseres Verlagsprogramms:
www.silberburg.de

Die besten Seiten der Schwäbischen Alb

In Ihrer Buchhandlung

Die Schwäbische Alb

Fotos von Rainer Fieselmann und Manfred Grohe.

Der zauberhafte Bildband porträtiert die ganze Schwäbische Alb vom Randen bis zum Ries.

Mit einem Beitrag von Fritz Schray und einem Geleitwort von Theo Müller. Deutsch, englisch, französisch, spanisch. 176 Seiten, 188 Farbaufnahmen, Großformat, fester Einband mit Schutzumschlag. ISBN 978-3-87407-644-9

Flug über Donau und Schwäbische Alb

Fotos von Manfred Grohe. Texte von Harald Schukraft.

Manfred Grohe porträtiert die ganze Schwäbische Alb und das Donautal bis Günzburg in wahrhaft erhebenden Luftaufnahmen. Wer mit diesem spektakulären Bildband abhebt, sollte schwindelfrei sein.

Deutsch, englisch, französisch. 176 Seiten, 183 Farbaufnahmen, Großformat, fester Einband mit Schutzumschlag. ISBN 978-3-87407-670-8

Ernst Waldemar Bauer:

Zauber der Schwäbischen Alb

Für seine beliebte Fernsehreihe »Wunder der Erde« war Ernst Waldemar Bauer auf der ganzen Welt unterwegs, aber der »Zauber der Schwäbischen Alb« hat ihn nie losgelassen. Mit brillanten Naturaufnahmen und profunden Texten zeigt er die Faszination dieser Landschaft und lädt ein zu einem ganz persönlichen Ausflug durch Natur, Geschichte und Kultur der Schwäbischen Alb.

160 Seiten, 191 Farbabbildungen, fester Einband. ISBN 978-3-87407-789-7

Günter Künkele:

Naturerbe Biosphärengebiet Schwäbische Alb

Streifzüge durch eine außergewöhnliche Landschaft Das Biosphärengebiet Schwäbische Alb reiht sich ein in die illustre Gesellschaft der spektakulärsten Naturräume der Welt. Kein Wunder also, dass diese Landschaft mit dem Prädikat »UNESCO-Biosphärenreservat« geadelt werden soll.

176 Seiten, 205 Farbfotos, fester Einband. ISBN 978-3-87407-790-3

Silberburg·Verlag
www.silberburg.de